Une bonne façon d'aider les futurs lecteurs est de leur lire des histoires et aussi de lire avec eux. Petit à petit, ils parviendront ainsi à reconnaître certains mots, et enfin à lire seuls.

Commencez d'abord par lire à l'enfant l'histoire racontée sur les pages de gauche.

Relisez ensuite le livre autant de fois que l'enfant le demande. Regardez les dessins avec lui.

Plus tard, l'enfant sera à même de lire seul les légendes des pages de droite.

Quelques idées complémentaires pour vous aider dans votre démarche se trouvent en fin de volume.

L'édition originale de ce livre a paru sous le titre: *The flying saucer* dans la collection "Puddle Lane"

ISBN 2.04.016843-5
Dépôt légal: septembre 1987
Achevé d'imprimer en août 1987
par Ladybird Books Ltd, Loughborough, Leics, Angleterre
Imprimé en Angleterre

La soucoupe volante

texte de **SHEILA McCULLAGH**
illustrations de TONY MORRIS
adaptation de LAURETTE BRUNIUS

Ce livre appartient à:

Bordas

Sophie Griffagile
était une petite chatte grise.
Elle avait les pattes blanches,
et aussi les moustaches.
Elle vivait dans un coin de la cave
d'une très vieille maison.

Elle vivait là avec sa mère
qui s'appelait Mathilde,
et son frère qui s'appelait Bébert.

Sophie

Un magicien habitait dans le grenier de la maison.

Le reste de la maison était vide.

Le magicien

Un jour, Sophie grimpa dans un arbre.
De là, elle sauta sur le toit de la maison.

Sur le toit, il y avait une fenêtre.
La fenêtre était ouverte.

Sophie regarda par la fenêtre.
La pièce était vide.
Il n'y avait personne.

Sophie regarda
par la fenêtre.

Il y avait une grande perche
appuyée contre la fenêtre.
Sophie se laissa glisser
le long de la perche.

Elle courut jusqu'au fauteuil du magicien
qui était près d'une grande table.

Sophie sauta sur le fauteuil.

Sophie sauta
sur le fauteuil.

Du fauteuil, elle sauta sur la table.

Sophie sauta
sur la table.

Il y avait une grande soucoupe
sur la table.

Sur la soucoupe, il y avait
un drôle de dessin rouge et vert.

Il y avait deux mots écrits sur la
soucoupe. Mais comme Sophie ne savait
pas encore lire, elle ne pouvait pas savoir
ce que ces mots voulaient dire.

La soucoupe

Sophie monta dans la soucoupe
pour mieux la voir.

Elle ne remarqua pas
le petit bouton rouge
au fond de la soucoupe.
Elle posa sa patte sur le bouton.

Sophie dans la
soucoupe.

A peine Sophie
avait-elle touché le bouton
que la soucoupe s'envola!

La soucoupe s’envola.

Sophie était émerveillée.

– C'est une soucoupe volante! s'écria-t-elle. Oh, comme je voudrais qu'elle m'emporte!

Et aussitôt, la soucoupe s'échappa par la fenêtre.

Elle vola par-dessus le toit et par-dessus le jardin.

La soucoupe s'envola
par la fenêtre.

La soucoupe survola les rues
et les maisons de la ville.

La soucoupe volait toujours.

La soucoupe
volait toujours.

Au début, Sophie était enchantée.

Elle se penchait par-dessus le bord
de la soucoupe et regardait les maisons.

– J'aimerais m'arrêter un peu, disait-elle.
J'aimerais regarder les maisons.

Mais la soucoupe volait toujours.

La soucoupe
volait toujours.

Sophie commençait à avoir un peu peur.

– Miaou! criait-elle.
Je veux retourner chez moi!
Je veux retourner à la maison!

Mais la soucoupe volait toujours.

La soucoupe
volait toujours.

La soucoupe vola au-dessus du parc, et au-dessus de la rivière.

– Miaou! criait Sophie. Je veux retourner à la maison!

Mais la soucoupe volait toujours.

La soucoupe
volait toujours.

– Oh, mon Dieu, pleurait Sophie.
Comme je voudrais être à la maison!
Et elle s'assit sur le petit bouton rouge.

Sophie s'assit.

La soucoupe se mit à tournoyer
sur elle-même, et Sophie faillit tomber.
La soucoupe s'arrêta de tournoyer
et repartit.

Sophie faillit tomber.

La soucoupe survola de nouveau le parc.

Elle survola la rivière.
Et elle revint à la vieille maison
où habitait Sophie.

La soucoupe revint
à la vieille maison.

La soucoupe se posa tout doucement.

Elle atterrit juste devant le trou
sous l'escalier
par où Sophie rentrait chez elle.

Sophie descendit de la soucoupe
et la soucoupe s'envola aussitôt
vers le grenier où vivait le magicien.

La soucoupe se posa.

Mathilde revenait en se faufilant
sous la grille du jardin,
juste au moment où Sophie
atterrissait dans sa soucoupe.

– Sophie! gronda Mathilde. Où étais-tu?

– Je suis allée me promener, dit Sophie.
Mais je suis bien contente d'être
à la maison!

– J'espère bien, ma fille! dit Mathilde.

Mathilde vit Sophie.

Notes à l'usage des parents

Quand vous avez lu l'histoire, revenez au début. Regardez chaque image et commentez-la. Montrez la légende du doigt et lisez-la tout haut.

Suivez avec le doigt quand vous lisez, afin que l'enfant apprenne que la lecture se fait de gauche à droite. (Sans qu'il soit nécessaire de le lui dire, car les enfants apprennent beaucoup de choses sur la lecture simplement en lisant avec vous, et qu'il vaut souvent mieux les laisser apprendre d'expérience que leur expliquer.) La prochaine fois que vous relirez l'histoire, encouragez l'enfant à lire les mots et les phrases qui figurent sous les images.

Ne lui soufflez pas le mot avant qu'il n'ait eu le temps de réfléchir, mais ne le laissez pas non plus peiner trop longtemps. Encouragez-le en lui faisant sentir qu'il lit bien, félicitez-le pour ses progrès et évitez les critiques.

Revenez ensuite au commencement, et inscrivez le nom de l'enfant dans l'espace qui lui est réservé sur la page de titre, en lettres minuscules, et non pas en majuscules. Qu'il vous regarde écrire son nom: c'est une expérience instructive.

Les enfants aiment entendre la même histoire plusieurs fois. Lisez cette histoire aussi souvent qu'il souhaitera l'entendre. Plus il aura d'occasions de regarder les images et de lire les légendes avec vous, plus il apprendra à reconnaître les mots. Ne vous inquiétez pas s'il répète de mémoire les légendes avant même de les avoir lues. C'est un stade normal de l'apprentissage.

Si vous avez plusieurs livres, laissez-le choisir l'histoire qu'il veut entendre.

Demandez à l'enfant de regarder les images et de lire les mots, puis de cacher les images et de relire les mots.

Sophie

Le magicien

La soucoupe

La maison du magicien